Beowulf

a jak bojoval s Grendelem
- anglosaská báje

Beowulf

And how he fought Grendel
- an Anglo-Saxon Epic

Anglosasové přišli k anglickému pobřeží ve čtvrtém století.
Beowulf je nejstarší evropský známý místní epos psaný staroangličtinou (anglosaxštinou). Jediný zachráněný rukopis této epické básně pochází z desátého století, i když se předpokládá, že události se uskutečnily ve století šestém. V básni jsou odkazy na známá místa, osoby a události, i když tu není žádný historický důkaz, že sám Beowulf vůbec existoval.
Geatové byli obyvatelé jižního Švédska a události tohoto příběhu proběhly v Dánsku. Beowulfa a anglosaskou mythologii nám přiblížil již zesnulý profesor anglosasštiny v Oxfordu J. R. R. Tolkien, když napsal Pána prstenů.
Doufáme, že tato zjednodušená verze jedné části Beowulfova mýtu bude inspirovat čtenáře, aby vyhledali pozoruhodný originál.

The Anglo-Saxons came to the British shores in the fourth century.
Beowulf is the earliest known European vernacular epic written in Old English (Anglo-Saxon). The only surviving manuscript of the epic poem dates from the tenth century, although the events are thought to have taken place in the sixth century. The poem contains references to real places, people and events, although there is no historical evidence to Beowulf himself having existed.
The Geats were the southern Swedish people and the events in this story take place in Denmark.
The late J R R Tolkien was Professor of Anglo-Saxon at Oxford and he drew on *Beowulf* and Anglo-Saxon mythology when he wrote *Lord of the Rings*.
It is hoped that this simplified version of part of the Beowulf legend will inspire readers to look at the magnificent original.

Some Anglo-Saxon kennings and their meanings:
Flood timber or swimming timber - ship
Candle of the world - sun
Swan road or swan riding - sea
Ray of light in battle - sword
Play wood - harp

A CIP record for this book is available
from the British Library.

First published 2004 by Mantra Lingua
5 Alexandra Grove,
London N12 8NU
www.mantralingua.com

Beowulf

Beowulf

Adapted by Henriette Barkow
Illustrated by Alan Down

Czech translation by Milada Sal

MANTRA

Slyšeli jste to?

Říká se, že když příliš mnoho mluvíte a smějete se, Grendel přijde a odvleče vás pryč. Nevíte o Grendelovi? Tak tedy předpokládám, že nevíte také nic o Beowulfovi. Poslouchejte pozorně, budu vám vyprávět příběh o největším geatském bojovníkovi a o tom, jak bojoval proti ohavnému netvoru Grendelovi.

Did you hear that?

They say that if there is too much talking and laughter, Grendel will come and drag you away. You don't know about Grendel? Then I suppose you don't know about Beowulf either. Listen closely and I will tell you the story of the greatest Geat warrior and how he fought the vile monster, Grendel.

Před více než tisíci lety se dánský král Hrothgar rozhodl vybudovat sídlo na počest vítězství svých věrných bojovníků. Dokončený palác pojmenoval Heorot a prohlásil, že to bude místo pro slavnosti a předávání darů. Heorot se tyčil nad pustou, bažinatou krajinou. Jeho bílé štíty byly vidět na několik mil daleko.

More than a thousand years ago the Danish King Hrothgar decided to build a great hall to celebrate the victories of his loyal warriors. When the hall was finished he named it Heorot and proclaimed that it should be a place for feasting, and for the bestowing of gifts. Heorot towered over the desolate marshy landscape. Its white gables could be seen for miles.

Jedné tmavé a bezměsíční noci pořádal Hrotgard v hlavní síni velkou hostinu. Bylo tam dobré jídlo a pivo pro všechny bojovníky i jejich ženy. Byli tam potulní zpěváci a také muzikanti.

On a dark and moonless night Hrothgar held his first great banquet in the main hall. There was the finest food and ale for all the warriors and their wives. There were minstrels and musicians too.

Jejich veselí bylo slyšet přes celé bažiny až k tmavěmodré vodě, kde zlá bytost žila.

Grendel - dříve člověk, ale nyní krutá a krvežíznivá nestvůra. Grendel - už ne člověk, ale pořád ještě s patrnými lidskými rysy.

Their joyous sounds could be heard all across the marshes to the dark blue waters, where an evil being lived.

Grendel - once a human, but now a cruel and bloodthirsty creature. Grendel - no longer a man, but still with some human features.

Grendel byl rozlobený tím hlaholem, který přicházel z paláce. Pozdě v noci, když král a královna už odpočívali ve svých komnatách a všichni bojovníci usnuli, Grendel se proplížil přes čvachtající bažiny. Když dorazil k bráně, našel ji zavřenou na závoru. Grendel ji rozrazil jediným mocným úderem a byl uvnitř.

Grendel was much angered by the sounds of merriment that came from the hall. Late that night, when the king and queen had retired to their rooms, and all the warriors were asleep, Grendel crept across the squelching marshes. When he reached the door he found it barred. With one mighty blow he pushed the door open. Then Grendel was inside.

V tu noc, v té síni, Grendel zabil třicet Hrothgartových nejstatečnějších bojovníků. Rukou jako klepeto je popadl za krk a vypil jejich krev ještě před tím, než do jejich masa ponořil své zuby. Když už nikdo nezůstal na živu, vrátil se Grendel do svého tmavého ponurého domova pod vodními vlnami.

That night, in that hall, Grendel slaughtered thirty of Hrothgar's bravest warriors. He snapped their necks with his claw like hands, and drank their blood, before sinking his teeth into their flesh. When none were left alive Grendel returned to his dark dank home beneath the watery waves.

Ráno byl dvůr plný pláče a zármutku.
Pohled na masakr nejsilnějších a nejstatečnějších
Dánů naplnil zemi hlubokým a zoufalým smutkem.
Po dvanáct dlouhých zim Grendel pokračoval v pustošení a zabil každého, kdo se ocitnul blízko Heorotu. Mnoho statečných členů rodu se snažilo bojovat s Grendelem, ale jejich zbraně jim byly v boji s ním k ničemu.

In the morning the hall was filled with weeping and grieving. The sight of the carnage of the strongest and bravest Danes filled the land with a deep despairing sadness.

For twelve long winters Grendel continued to ravage and kill any who came near Heorot. Many a brave clansman tried to do battle with Grendel, but their armour was useless against the evil one.

Povídání o Grendelových činech se rozneslo široko daleko. Dostalo se i k Bewulfovi, nejmocnějšímu a nejurozenějšímu bojovníkovi svého lidu. Slavnostně přislíbil, že zabije tu zlou příšeru.

The stories of the terrible deeds of Grendel were carried far and wide. Eventually they reached Beowulf, the mightiest and noblest warrior of his people. He vowed that he would slay the evil monster.

Beowulf připlul se svými čtrnácti oddanými šlechtici k dánskému pobřeží. Při vylodění je pobřežní hlídka vyzvala: “Zastav se ty, který se opovažuješ vylodit! Co tě přivádí k těmto břehům?”

“Jsem Beowulf. Odvážil jsem se vstoupit na tvoji zemi, abych za tvého krále Hrothgara bojoval s Grendelem. Tak si pospěš a doveď mě k němu,” poroučel.

Beowulf sailed with fourteen of his loyal thanes to the Danish shore. As they landed the coastal guards challenged them: “Halt he who dares to land! What is thy calling upon these shores?”

“I am Beowulf. I have ventured to your lands to fight Grendel for your king, Hrothgar. So make haste and take me to him,” he commanded.

Beowulf přijel na Heorot a přehlížel opuštěnou krajinu. Tam někde venku byl Grendel. S odhodláním v srdci se otočil a vešel do paláce.

Beowulf arrived at Heorot and surveyed the desolate landscape. Grendel was somewhere out there. With resolve in his heart he turned and entered the hall.

Beowulf se představil králi. "Hrotgarte, skutečný a urozený králi Dánů. Toto je můj slib: Zbavím tě zlého Grendela."

"Beowulfe, slyšel jsem o tvých statečných skutcích a obrovské síle, ale Grendel je silnější než jakýkoli žijící tvor, se kterým jsi se kdy utkal," odpověděl král.

"Hrotgare, ne jenom že svedu vítězný boj s Grendelem, ale budu bojovat pouze holýma rukama," ujistil Beowulf krále. Ti, kteří nikdy neslyšeli o jeho velké síle, si pomysleli, že je to jenom plané vychloubání.

Beowulf presented himself to the king. "Hrothgar, true and noble King of the Danes, this is my pledge: I will rid thee of the evil Grendel."

"Beowulf, I have heard of your brave deeds and great strength but Grendel is stronger than any living being that you would ever have encountered," replied the king.

"Hrothgar, I will not only fight and defeat Grendel, but I will do it with my bare hands," Beowulf assured the king. Many thought that this was an idle boast, for they had not heard of his great strength and brave deeds.

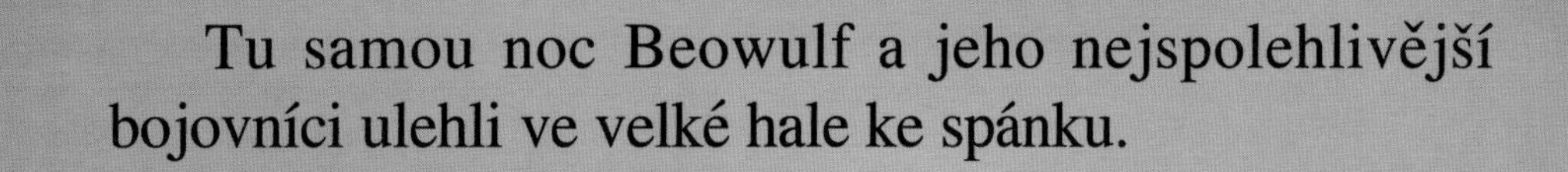

Tu samou noc Beowulf a jeho nejspolehlivější bojovníci ulehli ve velké hale ke spánku.

That very night Beowulf and his most trusted warriors lay down to sleep in the great hall.

Po setmění se Grendel vydal na cestu bažinatou krajinou do paláce, aniž by věděl, že dnes v noci jeho žízeň po krvi bude uspokojena.

Grendel vtrhl do haly, strhnul bojovníka z lavice, chytil ho za krk a vypil jeho krev. Potom ho odhodil na stranu.

As the light dimmed, Grendel made his way across the marshy ground to the hall not realising that tonight his bloodthirsty cravings would not be satisfied.

Grendel burst into the hall. He wrenched a warrior from his bench, snapped his neck and drank his blood, and then tossed him aside.

Přešel k další lavici a popadl muže. Když ale ucítil Beowulfovo sevření, poznal, že se setkal se silou tak velkou jako jeho vlastní.

He moved on to the next bench and grabbed that man. When he felt Beowulf's grip he knew that he had met a power as great as his own.

"Už ne více, ty ďábelská nestvůro!" přikázal Beowulf. "Budu s tebou bojovat až do konce. Dobro zvítězí."

Grendel skočil, aby chytil bojovníka za krk, ale Bowulf ho popadl za paži. A tak byli sevřeni v boji na život a na smrt. Oba byli naplněni touhou zabít toho druhého. Konečně s mocným trhnutím a s vypětím všech sil Beowulf vytrhnul Grendelovu paži z ramene.

"No more, you evil being!" commanded Beowulf. "I shall fight you to the death. Good shall prevail."

Grendel lunged forward to grab the warrior's throat but Beowulf grabbed his arm. Thus they were locked in mortal combat. Each was seething with the desire to kill the other. Finally, with a mighty jerk, and using all the power within him, Beowulf ripped Grendel's arm off.

Šílený křik pronikal nocí, jak Grendel vrávoral pryč a nechával za sebou krvavou stopu. Naposledy přešel mlhavou bažinu a zemřel ve své jeskyni pod tmavěmodrou kalnou vodou.

A terrible scream pierced the night air as Grendel staggered away, leaving a trail of blood. He crossed the misty marshes for the last time, and died in his cave beneath the dark blue murky waters.

Beowulf pozvedl paži nad hlavu, aby ji všichni viděli a prohlásil: "Já, Beowulf, jsem přemohl Grendela. Dobro zvítězilo nad zlem!"

Když Beowulf obdaroval Hrotgara Grendelovou paží, král se zaradoval a děkoval mu. "Beowulfe, největší z mužů. Od tohoto dne tě budu milovat jako syna a zahrnu tě bohatstvím."

Na tu noc byla nařízena velká hostina, aby se oslavilo vítězství Beowulfa nad Hrothgarovým nepřítelelem.

Ale radost přišla příliš brzy.

Beowulf lifted the arm above his head for all to see and proclaimed: "I, Beowulf have defeated Grendel. Good has triumphed over evil!"

When Beowulf presented Hrothgar with Grendel's arm the king rejoiced and gave his thanks: "Beowulf, greatest of men, from this day forth I will love thee like a son and bestow wealth upon you."

A great feast was commanded for that night to celebrate Beowulf's defeat of Hrothgar's enemy.

But the rejoicing came too soon.

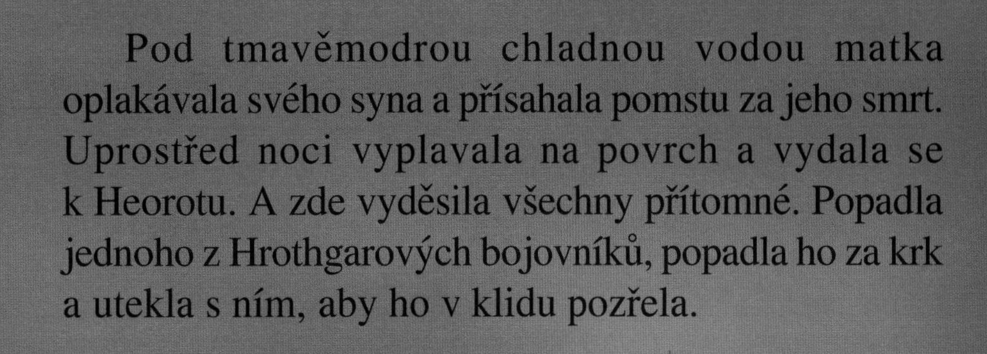

Pod tmavěmodrou chladnou vodou matka oplakávala svého syna a přísahala pomstu za jeho smrt. Uprostřed noci vyplavala na povrch a vydala se k Heorotu. A zde vyděsila všechny přítomné. Popadla jednoho z Hrothgarových bojovníků, popadla ho za krk a utekla s ním, aby ho v klidu pozřela.

Všichni zapomněli, že Grendel měl matku.

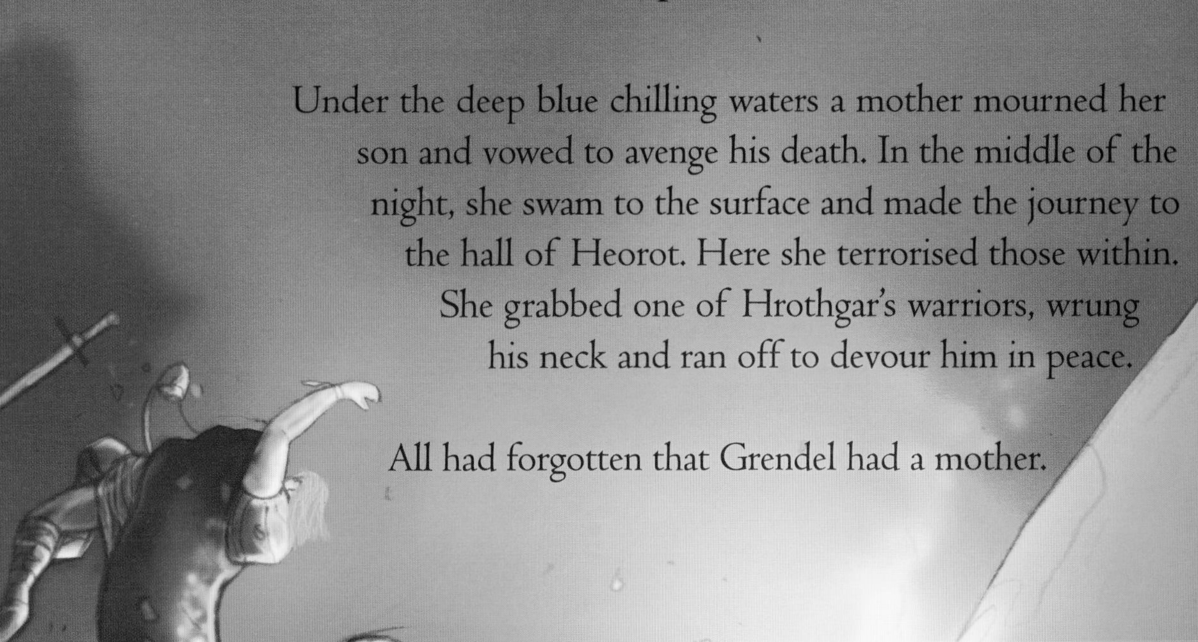

Under the deep blue chilling waters a mother mourned her son and vowed to avenge his death. In the middle of the night, she swam to the surface and made the journey to the hall of Heorot. Here she terrorised those within. She grabbed one of Hrothgar's warriors, wrung his neck and ran off to devour him in peace.

All had forgotten that Grendel had a mother.

Opět byl Heorot naplněn hlasitým zármutkem, ale i zlostí.

Hrotgar povolal Beowulfa do své komnaty a ten se ještě jednou zavázal k boji. “Půjdu a přemůžu Grendelovu matku. Zabíjení musí přestat.”

S těmito slovy shromáždil svých čtrnáct urozených bojovníků a vyjel směrem ke Grendelovu vodnímu sídlu.

Once more Heorot was filled with the sound of mourning, but also of anger.

Hrothgar summoned Beowulf to his chamber, and once more Beowulf pledged to do battle: “I will go and defeat Grendel’s mother. The killing has to stop.” With these words he gathered his fourteen noble warriors and rode out towards Grendel’s watery home.

Stopovali příšeru přes bažiny až se dostali k jakýmsi útesům. Tady se jejich oči setkaly se strašným pohledem: hlava zabitého bojovníka visící na stromě vedle zkrvavené vody.

They tracked the monster across the marshes until they reached some cliffs. There a terrible sight met their eyes: the head of the slain warrior hanging from a tree by the side of the blood stained waters.

Beowulf sesedl ze svého koně a oblékl si brnění. S mečem v ruce se ponořil do kalné vody. Plaval hluboko a hluboko dokud po několika hodinách neucítil dno. Zde se ocitnul tváří v tvář Grendelově matce.

Beowulf dismounted from his horse and put on his armour. With sword in hand he plunged into the gloomy water. Down and down he swam until after many an hour he reached the bottom. There, he came face to face with Grendel's mother.

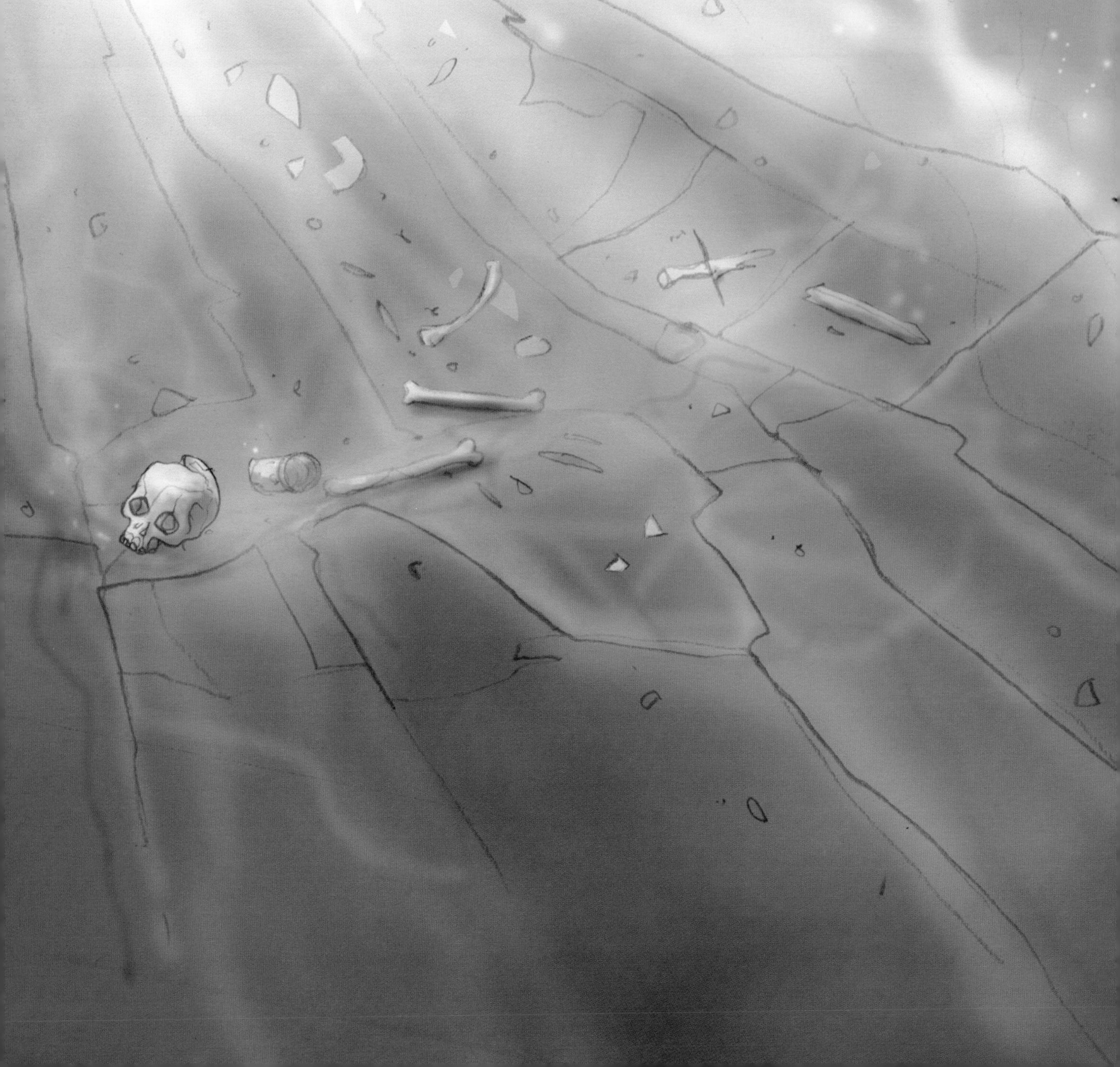

Ta na něho zaútočila, sevřela ho svými klepety a táhla ho do jeskyně. Kdyby nebylo jeho brnění, byl by už jistě zahynul.

She lunged at him, and clutching him with her claws, she dragged him into her cave. If it had not been for his armour he would surely have perished.

V jeskyni Beowulf vytasil svůj meč a mohutnou ranou ji udeřil do hlavy. Ale meč jenom sklouznul a nezanechal žádnou stopu. Beowulf odhodil meč stranou. Uchopil příšeru za ramena a mrštil s ní o zem. Ah! V ten moment ale Beowulf klopýtnul a ta ohavná příšera tasila dýku a bodla ho.

Within the cavern Beowulf drew his sword, and with a mighty blow struck her on the head. But the sword skimmed off and left no mark. Beowulf slung his sword away. He seized the monster by the shoulders and threw her to the ground. Oh, but at that moment Beowulf tripped, and the evil monster drew her dagger and

Beowulf cítil hrot na svém brnění ale ostří neproniklo. Beowulf se ihned překulil, a jak vrávoral na svých nohou, spatřil nádherný meč dovedně vytvořený obry. Rychle ho vytasil z pochvy a ostřím namířil přímo na Grendelovu matku. Tak prudkou sílu nemohla přežít a padla mrtvá na podlahu.

Meč se rozpustil v její horké zlé krvi.

Beowulf felt the point against his armour but the blade did not penetrate. Immediately Beowulf rolled over. As he staggered to his feet he saw the most magnificent sword, crafted by giants. He pulled it from its scabbard and brought the blade down upon Grendel's mother. Such a piercing blow she could not survive and she fell dead upon the floor.

The sword dissolved in her hot evil blood.

Beowulf se rozhlédl kolem a uviděl poklady, které Grendel nahromadil. V rohu leželo Grendelovo tělo. Beowulf překročil tělo zlého nestvůry a ut'al mu hlavu.

Beowulf looked around and saw the treasures that Grendel had hoarded. Lying in a corner was Grendel's corpse. Beowulf went over to the body of the evil being and hacked off Grendel's head.

S hlavou a rukojetí meče vyplaval na hladinu vody, kde jeho věrní přátelé netrpělivě čekali. Při pohledu na svého hrdinu se velice zaradovali a pomohli mu ven z brnění. Společně jeli zpět na Heorot s Grendelovou hlavou na kůlu.

Holding the head and the hilt of the sword he swam to the surface of the waters where his loyal companions were anxiously waiting. They rejoiced at the sight of their great hero and helped him out of his armour. Together they rode back to Heorot carrying Grendel's head upon a pole.

Beowufl a jeho jeho čtrnáct bojovníků předali káli Hrotgarovi a jeho královně Grendelovu hlavu a rukojet' meče.

Tu noc bylo proneseno mnoho proslovů. Nejdříve Beowulf vyprávěl o svém boji a blízké smrti pod ledovou vodou.

Potom Hrothgar znovu projevil svou vděčnost za všechno, co bylo provedeno. "Beowulfe, věrný příteli, tyto prsteny věnuji tobě a tvým bojovníkům. Tvoje sláva bude obrovská za to, že jsi osvobodil Dány od té nestvůry. Nyní at' slavnosti začnou."

Beowulf and his fourteen noble warriors presented King Hrothgar and his queen with Grendel's head and the hilt of the sword.

There were many speeches that night. First Beowulf told of his fight and near death beneath the icy waters.

Then Hrothgar renewed his gratitude for all that had been done: "Beowulf, loyal friend, these rings I bestow upon you and your warriors. Great shall be your fame for freeing us Danes from these evil ones. Now let the celebrations begin."

A oslavovali. Všichni, kteří se sešli v Heorotu zažili tu největší hostinu, jaká kdy byla. Jedli a pili, tancovali a poslouchali vyprávění starších. A od této noci všichni tvrdě spali ve svých postelích. Už tu nebylo nebezpečí plížící se bažinami.

And celebrate they did. Those gathered in Heorot had the biggest feast there had ever been. They ate and drank, danced and listened to the tales of old. From that night forth they all slept soundly in their beds. No longer was there a danger lurking across the marshes.

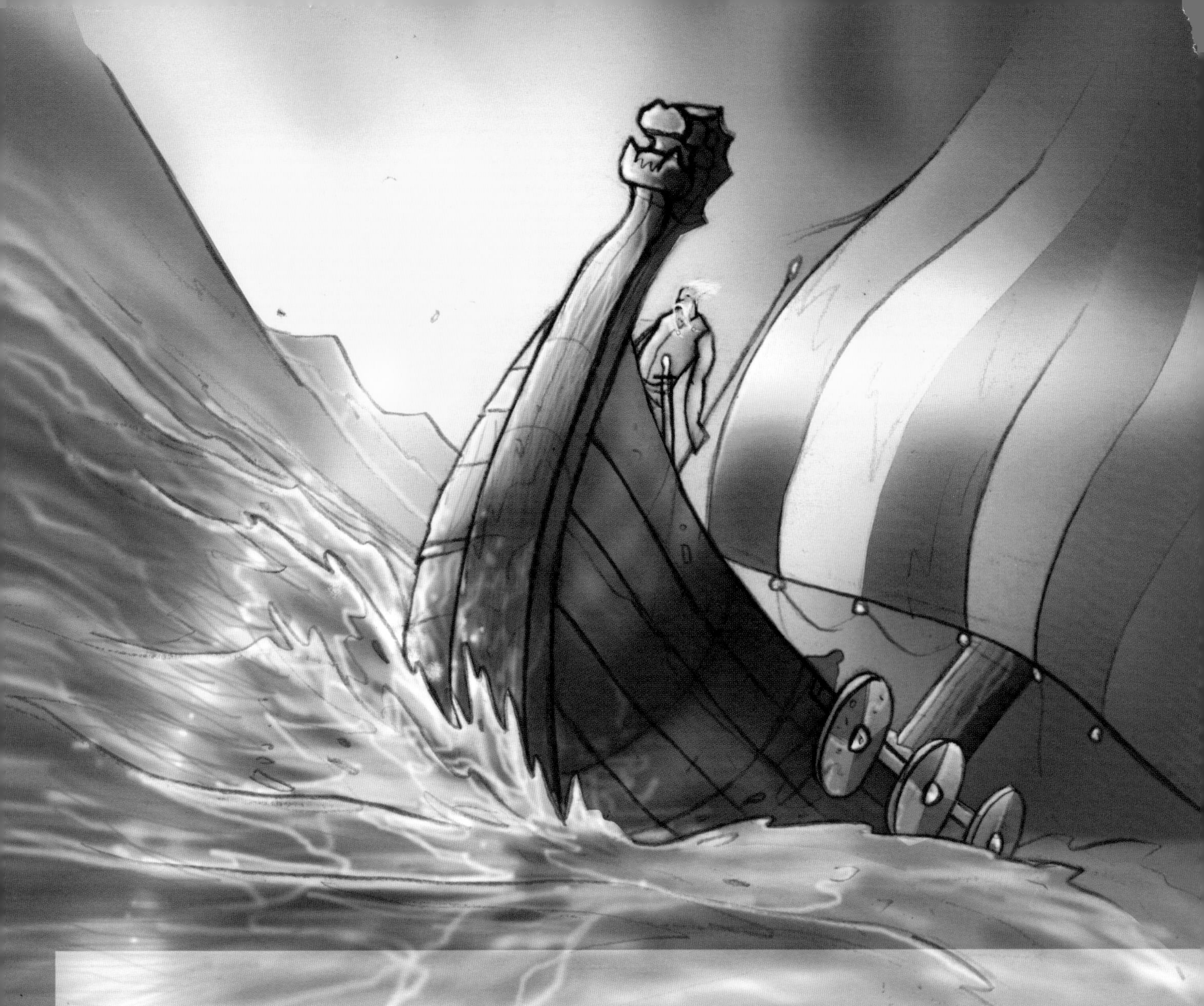

Po několika dnech se Beowulf a jeho muži připravovali k plavbě do své vlasti. S lodí naloženou dary a s přátelstvím mezi Geaty a Duny odpluli do svých domovů.

A proč se stal Beowulf největším a nejurozenějším z Geatů? Zažil ještě mnoho dobrodružství a bojoval s mnoha nestvůrami.

Ale to je už jiný příběh, který budu vyprávět jindy.

After a few days Beowulf and his men prepared to set sail for their homeland. Laden with gifts and a friendship between the Geats and the Danes they sailed away for their homes.

And what became of Beowulf, the greatest and noblest of Geats? He had many more adventures and fought many a monster.

But that is another story, to be told at another time.